COLEÇÃO
SAÚDE & BEM-ESTAR

VOLUME 2

MEDITAÇÃO

Diminua o estresse e foque no momento presente

São Paulo
2020

Grupo Editorial
UNIVERSO DOS LIVR

Diretor editorial: **Luis Matos**

Gerente editorial: **Marcia Batista**

Assistentes editoriais: **Letícia Nakamura e Raquel F. Abranches**

Preparação: **Marina Constantino**

Revisão técnica: **Yone Fonseca**

Revisão: **Tássia Carvalho**

Arte: **Valdinei Gomes**

Capa: **Vitor Martins**

Aviso: Este livro contém informações que visam auxiliar o paciente sob tratamento médico e/ou terapêutico. Nenhuma das informações aqui contidas substitui o acompanhamento de um profissional especializado.

Dados Internacionais de Catalogação na Publicação (CIP)
Angélica Ilacqua CRB-8/7057

M443

Meditação : diminua o estresse e foque no momento presente / Universo dos livros. — São Paulo : Universo dos Livros, 2020.

32 p. (Saúde & bem-estar ; vol. 2)

Bibliografia

ISBN 978-65-5609-013-9

1. Meditação 2. Meditação - História 3. Stress 4. Saúde mental (Psicologia)

20-4115 CDD 158.128

Universo dos Livros Editora Ltda.
Avenida Ordem e Progresso, 157 – 8º andar – Conj. 803
CEP 01141-030 – Barra Funda – São Paulo/SP
Telefone/Fax: (11) 3392-3336
www.universodoslivros.com.br
e-mail: editor@universodoslivros.com.br
Siga-nos no Twitter: @univdoslivros

SUMÁRIO

INTRODUÇÃO

O cotidiano no século XXI está cada vez mais agitado. Escola, família, amigos, trabalho, relacionamentos amorosos, viagens, compromissos e tudo mais que toma parte em nossa rotina consomem nossa energia.

O dia a dia estressante está repleto de armadilhas. E nós sentimos os efeitos desse estresse de diversas maneiras: nossa respiração é afetada, comemos cada vez mais rápido (e mal) e estamos cada vez mais suscetíveis a doenças, sejam novas, como é o caso da pandemia do novo coronavírus (Covid-19), ou antigas conhecidas de nossa espécie. A busca pelo bem-estar, por outro lado, exige que tratemos bem do corpo e da mente. Por isso, é preciso que nos voltemos para os cuidados com a saúde física e mental.

Se atividades físicas e uma dieta equilibrada são essenciais para o corpo, a meditação é uma ferramenta fundamental para conquistarmos uma vida mais saudável do ponto de vista da mente. Praticada e ensinada há milhares de anos, ela é uma das nossas maiores aliadas na busca por um dia a dia ideal.

A meditação nos habilita à entrada em um estado de atenção plena e dedicação total ao momento presente. Por meio de sua prática e dos ensinamentos por ela transmitidos, encontramos meios de relaxar, esvaziar a mente, buscar o autoconhecimento, experimentar sensações de bem-estar e paz, contribuindo também para o aumento da criatividade e da inspiração.

Este livro contém informações essenciais sobre o exercício da meditação. Você vai descobrir sua história milenar, os métodos existentes em meio a essa prática, bem como jeitos de começar a exercitá-la, seus benefícios e muito mais.

O QUE É?

A meditação é uma técnica utilizada para diminuir a intensidade da atividade mental. Serve para desenvolver a concentração, acalmar a mente e trazê-la para o presente, além de gerar um estado geral de tranquilidade e clareza mental e emocional, possibilitando ao corpo que crie ferramentas internas para lidar com o estresse.

Quando surgiu, muitos anos atrás no Oriente, tinha como objetivos a iluminação espiritual e a transcendência. Com o tempo, seus praticantes passaram a utilizá-la para aumentar a concentração, trabalhar a disciplina e equilibrar o temperamento.

Pode ser feita por qualquer pessoa, porém não é indicada para pessoas que apresentem quadro de esquizofrenia. Também pode não ser muito eficaz para pessoas em quadros graves de depressão. Existem diversas modalidades (e finalidades), mas geralmente se realiza com o praticante sentado com a coluna ereta e as pernas cruzadas, e é composta de exercícios de respiração. É possível realizá-la também deitada ou até mesmo caminhando.

Além da prática individual, também é comum meditar em duplas ou grupos. Hoje, uma modalidade bastante popular é a meditação guiada, cuja prática ocorre a partir de orientações dadas por outro praticante. Métodos modernos, como vídeos e aplicativos para celulares, são boas ferramentas, fornecendo instruções verbais e efeitos sonoros relaxantes de fundo, por exemplo.

A meditação e suas vertentes são muito ricas e variadas. Entre as diversas opções, é possível encontrar uma que se encaixe à sua condição e às suas necessidades.

O QUE É MANTRA?

Bastante usado em religiões e filosofias orientais, como hinduísmo, budismo, jainismo, siquismo e taoísmo, mantra é uma sequência de sílabas ou palavras repetidas com o propósito de ajudar a mente a se concentrar na meditação. Nem sempre possui algum significado, mas alguns têm significados religiosos ou espirituais.

HISTÓRIA

As origens da meditação remontam à era pré-histórica. Estudiosos especulam que, no início da evolução da espécie humana, homens e mulheres já entravam em transe em volta da fogueira, após um longo dia de caça ou para suportar longos períodos dentro de cavernas, principalmente em épocas mais frias.

Já a meditação como conhecemos começou no Oriente, mais precisamente na Índia. As evidências mais antigas da prática datam de aproximadamente 4 mil anos atrás, tendo sido encontradas no Vale do Indo (no nordeste do Afeganistão e noroeste da Índia atuais). Desenhos de pessoas em posição de meditação (sentadas, com os olhos fechados) foram encontradas nas paredes de cavernas da região.

Por volta de 3.000 a.C., na China, a literatura taoísta de mestres como Lao-Tzu e Chuang-Tzu já continha exercícios meditativos. Mais recentemente, há 1,5 mil anos, escritos sobre meditação já faziam parte do Vedas, compilação indiana de hinos e preces considerada o primeiro livro sagrado da História. Na época, a meditação era uma prática de religiosos.

Já a meditação budista remonta ao mentor da doutrina, Siddhārtha Gautama. Aquele que seria mundialmente conhecido como Buda aprendeu a meditação com iogues, os praticantes da ioga, mas criou sua própria vertente, que passou adiante para seus seguidores – método que dura até hoje.

Os grandes filósofos da Grécia Antiga também praticavam a meditação, influenciados por mestres indianos. Os ensinamentos foram trazidos nas campanhas militares de Alexandre, o Grande, à Índia. Assim, nomes importantes como Platão e Aristóteles faziam uso da meditação para filosofar.

O zen-budismo começou por volta do século VI com o monge indiano Bodhidharma, que esteve na China a fim de ensinar meditação. Seus ensinamentos se espalharam pelo país, e daí por toda a Ásia, incluindo países como Coreia, Japão e Vietnã, influenciando o taoísmo e a cultura chinesa de modo geral. O sufismo, tradição que se origina do Islã, data do mesmo século. Também recebeu influência indiana e usa técnicas de respiração, mantra e contemplação para saudar Alá.

A meditação cristã, por sua vez, surgiu na Grécia, entre os séculos X e XIV, da repetição de palavras ou frases religiosas. Um grupo de cristãos foi influenciado por meditadores indianos e adaptou a prática à sua fé, criando um método próprio. Já no século XVI, foi a vez de monges beneditinos iniciarem sua própria corrente.

As práticas de meditação começaram a ser mais divulgadas no Ocidente a partir do século XVIII. Em 1700, textos como Upanishads, Bhagavad Gita e sutras budistas foram traduzidos para idiomas europeus. No mundo contemporâneo, a ioga e a meditação chegaram aos Estados Unidos no início do século XX com o iogue Swami Vivekananda. A publicação de *O livro tibetano dos mortos*, em 1927, chamou atenção por suas técnicas e popularizou a prática no Ocidente.

E assim, a meditação como conhecemos atualmente é o resultado de muitas adaptações das práticas tradicionais do Oriente e de suas assimilações por religiões de diversas partes do mundo.

BENEFÍCIOS DA MEDITAÇÃO

Cada pessoa possui um organismo e modos diferentes de pensar, mas a meditação é comprovadamente uma prática saudável e cheia de vantagens para todos.

Veja a seguir alguns dos numerosos benefícios que a meditação proporciona:

- Tranquilidade - Um dos pilares da meditação é a paz de espírito. Se o cotidiano é estressante, meditar ajuda a acalmar e a "esvaziar" a mente, tornando-a mais saudável.
- Maior atenção e concentração - Uma vez que os pensamentos aflitivos são silenciados, a mente consegue aprender aos poucos a se concentrar no que realmente importa. Acalmar a mente facilita a concentração, fato que favorece o estudo, o trabalho e a execução de outras tarefas do cotidiano.
- Possível redução de ansiedade e depressão - Se aliado a tratamento e acompanhamento médico e psicológico adequados, o ato de meditar pode trazer alívio a sintomas de depressão e da ansiedade, em casos leves e moderados dessas doenças, entre outras enfermidades psicológicas.
- Aumento da criatividade - Concentração e serenidade estimulam os aspectos positivos das mentes agitadas, um estado tão comum nos dias de hoje. A criatividade pessoal é favorecida por uma mente calma, trazendo clareza às ações e às ideias.

- Qualidade do sono - Ao acalmar a mente e espantar pensamentos ruins, o exercício em questão favorece um repouso de qualidade, potencializando os benefícios de uma boa noite de descanso e evitando distúrbios do sono, como a insônia.
- Autoconhecimento - A meditação contribui para a aquisição de conhecimentos sobre o nosso próprio corpo e mente. Ter mais noção dos próprios sentimentos e instintos nos ajuda a tomar decisões que afetam positivamente nossa qualidade de vida.
- Desapego do passado - Remoer pensamentos é algo que atrapalha muito a nossa mente. A repetição excessiva de pensamentos como "Será que tomei a melhor decisão?" e "Por que fiz tal coisa?" pode ser atenuada por meio da meditação.
- Diminuição do estresse - Meditar nos ajuda a relaxar, a controlar a raiva e a diminuir o estresse.
- Ganho de motivação - Uma mente saudável aumenta a autoestima, eleva o ânimo e pode até nos ajudar na superação de traumas.

BENEFÍCIOS PROFISSIONAIS

Segundo estudo realizado por Tonya Jacobs, pesquisadora pós-doutorada na Universidade da Califórnia (UC Davis Center for Mind and Brain), quem medita possui níveis mais baixos de substâncias associadas à ansiedade e à depressão, como cortisol e adrenalina. Sendo assim, a meditação aumenta sua capacidade de executar mais tarefas ao mesmo tempo e de forma correta. Tudo isso gera aumento na produtividade, melhora o humor e contribui para aprimorar os níveis de disposição e sociabilidade.

COMO MEDITAR

A fim de nos ajudar na conquista de tranquilidade e paz interior, a prática meditativa requer métodos que envolvam concentração e a adoção da postura correta. A escolha de um ambiente propício, assiduidade, além de paciência, são fundamentais para quem está começando. O ideal é que a meditação seja praticada em locais com o mínimo possível de perturbações e sob supervisão de instrutores treinados, mas ela também pode ser feita em casa, sem acompanhamento. A seguir, destacamos pontos importantes que valem ser considerados quando se começa a meditar.

- Prática diária - É interessante que a meditação se torne parte do seu cotidiano, com hora certa para acontecer. Reserve um ou dois momentos no dia (ao acordar e antes de dormir, por exemplo) e comece com sessões curtas, com poucos minutos de duração. Com o passar do tempo, comece a meditar por períodos mais longos, com sessões de dez a vinte minutos. Use um despertador para saber quando o tempo se encerrou.
- Ambiente adequado - O local da prática é muito importante para evitar distrações. Não tem problema meditar em casa, no parque ou até mesmo no trabalho, em um momento de pausa; o importante é buscar um canto calmo.
- Atenção à postura - Essencial para a meditação, uma postura correta e confortável é um dos elementos benéficos

da prática. Cada abordagem pode sugerir uma postura específica, mas, em geral, a recomendação é se sentar com os olhos fechados ou semifechados e posicionar as mãos sobre as pernas. Também é comum executar a prática na posição deitada. A famosa postura de lótus é um exemplo, na qual as pernas são mantidas cruzadas, com os pés sobre as coxas, logo acima dos joelhos - muito eficaz para estabilizar o corpo.

- Atenção à respiração - Este é outro pilar da meditação, presente em quase todos os tipos de abordagem. Prestar atenção à maneira como se respira é muito importante para uma boa prática meditativa, conforme veremos adiante.
- Estudo - Utilize ferramentas que ajudam nesse exercício, como músicas, repetições de palavras, mentalização de objetivos etc. Elas ajudam a alcançar o objetivo e colaboram para a criação de um ambiente perfeito, afastando da mente as preocupações e os pensamentos negativos.
- Conforto - Use roupas leves e evite peças que prendam a circulação ou sejam desconfortáveis. Remova acessórios como cintos, relógio, óculos e joias.
- Concentração - Não deixe que aparelhos eletrônicos atrapalhem a prática. Desligue televisões, rádios ou outros eletrodomésticos que podem ser fontes de distração. Não se esqueça de colocar o celular em "modo avião" se for usá-lo como despertador nas suas sessões de meditação.

PRIMEIROS PASSOS

Cogite buscar ajuda de profissionais experientes nessa área, seja essa orientação feita por meio de aulas presenciais ou por meio de áudios e vídeos.

Mas, se for começar sozinho, encontre um local calmo, confortável e sem a distração de aparelhos eletrônicos. Acender incensos também é uma boa dica para criar um ambiente aconchegante.

A respiração, um dos pontos principais em quase todas as abordagens, é feita inspirando e expirando pelo nariz. O ritmo é ditado de acordo com os limites do corpo de cada pessoa, sem que seja desagradável.

Siga seu próprio ritmo para começar a se sentir à vontade e acostumar o corpo. Tenha paciência para ser constante e criar uma rotina.

PERGUNTAS E RESPOSTAS

DEVO USAR FERRAMENTAS DE MEDITAÇÃO GUIADA, COMO VÍDEOS OU APLICATIVOS PARA DISPOSITIVOS MÓVEIS?

Essas ferramentas são bastante úteis. No entanto, se houver dificuldade para iniciar as práticas, vale buscar o acompanhamento de um profissional.

COMO ESCOLHER A MELHOR TÉCNICA?

Com uma variedade tão grande de métodos, devemos estudar as características de cada tipo a fim de compreender melhor seus requisitos e objetivos. Para quem está começando, experimentar técnicas distintas é bem interessante e faz parte do processo de análise da adequação delas para você. O intuito é determinar quais são as suas necessidades, qual é o objetivo de cada método, se as características físicas do seu corpo ou tempo disponível para a prática se encaixam nos requisitos da abordagem etc. Encontrar o método certo para você pode potencializar os benefícios da prática.

TODOS CONSEGUEM MEDITAR?

A princípio, sim. No entanto, cada pessoa possui características próprias, e a resposta a esse exercício pode variar. De qualquer maneira, os benefícios estão ao alcance de todos, desde que haja comprometimento e constância, sem limites de idade: todos estão aptos, desde os mais jovens aos integrantes da melhor idade.

As exceções, conforme dito anteriormente, são casos graves de depressão, ansiedade e quadro sintomático de esquizofrenia.

QUANTO TEMPO LEVA PARA OBTER RESULTADOS?

Mais uma vez, a resposta varia de pessoa para pessoa, além de depender do comprometimento de cada um. No entanto, há pesquisas científicas que contabilizam os efeitos benéficos das práticas meditativas já entre sessenta e noventa dias desde o início da adoção desse hábito.

MEDITAÇÃO PARA CRIANÇAS

Desde pequenas, a partir dos 5 anos de idade, as crianças já podem meditar. Trata-se de algo bastante benéfico para os mais jovens, pois traz maior concentração e autocontrole. No Reino Unido, por exemplo, usa-se nas escolas a meditação mindfulness, com sessões curtas para relaxamento. Em fevereiro de 2019, o governo britânico adotou esse programa em 370 escolas, com o objetivo de colaborar com a saúde mental dos alunos.

Nas práticas, os alunos trabalham com especialistas em busca de exercitar o relaxamento e a respiração, úteis para aprender a administrar as próprias emoções. Os especialistas responsáveis pela condução da prática vêm do Anna Freud National Centre for Children and Families, sediado em Londres.

TÉCNICAS DE MEDITAÇÃO

Como explicado anteriormente, a meditação é uma prática multimilenar. Os antigos mestres passaram seus ensinamentos aos seus alunos, inúmeras técnicas viajaram de um país a outro e uma infinidade de conceitos foi assimilada ao longo do tempo, propiciando a dissociação de abordagens de mesma origem.

Os estudiosos dividem as diferentes "correntes" de meditação em dois grandes grupos. O primeiro é o da Atenção Concentrada, que reúne práticas que buscam se concentrar em algo durante toda a sessão: respiração, mantra, visualização, parte do corpo, objetos etc. O nível de atenção aumenta com o exercício, já que o praticante se liberta aos poucos da influência externa.

O segundo é o do Monitoramento Aberto, em que os praticantes se mantêm receptivos e atentos a todos os aspectos da experiência, sem julgamento ou apego. Nas meditações de Monitoramento Aberto, os elementos internos (sensações, sentimentos e memórias) e externos (sons e cheiros) são reconhecidos e observados pelo que são.

Agora, vamos viajar pelas diferentes práticas desenvolvidas ao longo da história humana:

- Acem – Criada na Noruega, em 1966, essa abordagem é inspirada no modelo Transcendental. É composta de duas práticas ao dia (de trinta minutos cada) e consiste na repetição de um som sem significado ao longo da sessão. É voltada para a aprendizagem de como lidar com nossos pensamentos.

- Autoindagação - Vem do termo sânscrito "*vichara*", que quer dizer "investigar nossa verdadeira natureza" ou responder à pergunta "quem sou eu?". É uma prática voltada para o autoconhecimento, popularizada pelo indiano Ramana Maharshi (1879-1950).
- Bondade Amorosa (Meditação Metta) - Tem vínculo com tradições budistas das linhagens teravada e tibetana. Busca aumentar a capacidade de empatia, estimular o desejo de felicidade para todos e desenvolver emoções positivas. É praticada com os olhos fechados.
- Budista - Uma das mais famosas e completas. Seu objetivo é exercer o controle sobre a mente a fim de fixar totalmente a concentração no presente. Assim, busca-se afastar a interferência de pensamentos, sensações, emoções e lembranças negativas. Requer muita atenção à respiração.
- Dzogchen - Possui base budista, mas com influências tibetanas. Nela, o intuito é simplificar o exercício, encarando-o como algo natural e relacionado ao poder interior. Não possui mantras ou técnicas de respiração especial. É a abordagem praticada pelos dalai-lamas.
- Hare Krishna - Originada pelos seguidores do vixenuísmo, os hare krishnas. É praticada geralmente de manhã e contém repetição de cânticos e mantras, pois o som é um elemento poderoso para esse tipo de meditação.
- Ho'oponopono - Prática havaiana cujo nome significa "colocar em ordem ou limpar aquilo que não serve". Possui uma crença no poder de cura, na autorresponsabilidade e no perdão para gerar gratidão. A ideia de cura está associada à remoção de memórias traumáticas, dolorosas ou de crenças limitantes. É praticada com quatro mantras: "Sinto muito", "Perdoe-me", "Eu te amo" e "Sou grato".

- Ioga - Engloba um conjunto de filosofias, teorias e códigos de conduta, sendo a meditação parte fundamental da ioga. Tem como finalidade o desenvolvimento da calma, do autoconhecimento e do desapego material. A palavra significa "união" em sânscrito. Existe há mais de cinco milênios e é composta de condutas (*yamas* e *niyamas*), posturas físicas (*asanas*), respiração (*pranayama*) e práticas de meditação (*pratyahara, dharana, dhyana* e *samadhi*). Há vários tipos de meditação utilizados pela ioga, e podem ser citados como exemplo:
    - Terceiro Olho - Concentra-se no "ponto entre as sobrancelhas" (chamado de "terceiro olho" ou "*ajna chakra*") e busca acalmar a mente;
    - Kriya - Conjunto de exercícios de energização e respiração ensinados por Paramahansa Yogananda;
    - Nada Yoga - Com foco no som, utiliza música ambiente calmante para tranquilizar a mente;
    - Rāja Yoga - Nesta vertente da ioga, o praticante se afasta de sons ou objetos que causem sensações negativas. A intenção é se manter conectado a vibrações positivas. Busca a paz promovida pela quietude interior.
- Kabbalah - Meditação religiosa oriunda do pensamento judaico de mesmo nome. Seus praticantes buscam "estar mais próximo de Deus".
- Meditação cristã - Visa à purificação moral e maior compreensão da Bíblia, além da ampliação do vínculo com Deus e com Jesus Cristo. É composta de oração contemplativa (repetição silenciosa de palavras ou frases sagradas), leitura contemplativa (reflexão profunda sobre os ensinamentos da Bíblia) e o ato de "sentar-se com Deus" (mente, coração e alma concentrados na presença do Senhor).

- Meditações guiadas - Prática moderna ideal para iniciantes. É baseada no uso de fontes de informação (músicas e áudio) como guias. Possui algumas vertentes:
  - Tradicionais - A voz do instrutor guia a meditação, que ocorre sem música. Desenvolve e aprofunda a prática em si;
  - Imagens guiadas - Uso de imagens mentais, como visualização de objetivos, cenários ou entidades. Voltada para a cura e para o relaxamento;
  - Relaxamento e *body scan* - Do inglês "escanear o corpo", seu objetivo é o relaxamento profundo corporal. São utilizadas músicas instrumentais e sons da natureza. A atenção é voltada para cada parte do corpo do praticante;
  - Afirmações - Impressão de uma mensagem na mente por meio de imagens guiadas.
- Mindfulness - Adaptação das práticas tradicionais de meditação budista e do zen-budismo vietnamita de Thích Nhất Hanh. É uma prática laica, na qual se treina a mente à procura de permanecer no momento presente. É preciso ter consciência das emoções e não reagir com impulsividade em situações estressantes. Prega atenção às sensações, aos pensamentos e às emoções que emergem.
- Qigong - Foi criada na China, e seu nome significa "cultivo de energia vital". Era praticada em sigilo nas tradições taoístas e confucionistas do referido país. Integra a Medicina Tradicional Chinesa, junto a outras técnicas como acupuntura, fitoterapia (estudo das funções terapêuticas de plantas e vegetais), dietoterapia (estudo de dietas específicas para cada enfermidade) e tuiná (técnica de massagem). Seus exercícios e meditação são voltados para o equilíbrio do *chi*, nossa energia vital.

Envolve movimentos lentos do corpo e respiração regulada, além da prática de artes marciais. O *dantian*, área que fica abaixo do umbigo e onde o *chi* está concentrado, é um ponto de atenção segundo essa abordagem.

- Shinsokan – Meditação contemplativa de origem japonesa. É voltada à transcendência do mundo material. Com teor espiritual, é usada por aqueles que desejam desenvolver crenças e pensamentos elevados.
- Sudarshan Kriya – Abordagem que acredita que a respiração é a principal fonte de energia do ser humano, sendo fundamental para diminuir o estresse e aumentar a vontade de viver. Usa ritmos específicos de respiração para harmonizar corpo e emoções, reduzir o estresse e a fadiga e eliminar sentimentos prejudiciais.
- Sufismo – Oriundo da vertente esotérica do Islã influenciada pela ioga indiana. Nela, é preciso se purificar para alcançar a união mística com Alá.
- Tântrica – Técnica na qual emoções e doenças físicas estão relacionadas aos *chakras*, centros de absorção, acúmulo e propagação de energias. Há uma conversão das emoções negativas em benefícios para o corpo e para a mente, técnica que ajuda na evolução do caminho espiritual. Esse método de trabalhar as energias do corpo e da mente é composto de respiração, posições de mãos e técnicas de concentração. No processo, são entoados mantras em sânscrito.
- Taoísta – Meditações da filosofia e religião chinesa do sábio Lao-Tzu, que prioriza a vida em harmonia com a natureza. Tem influência de práticas budistas trazidas da Índia no século VIII para estimular a geração, transformação e circulação da energia interna corporal. Suas ramificações são:

    - o Vacuidade (Zuowang) - Consiste em esvaziar a mente e experimentar o silêncio interior. O espírito e a força vital são fortalecidos;
    - o Visualização (Cunxiang) - Prática esotérica de visualizar aspectos do cosmos;
    - o Respiração (Zhuanqi) - O praticante se torna consciente dos "dinamismos do céu e da terra" por meio da respiração;
    - o Visão interna (Neiguan) - Visualização interna nos âmbitos corporal e mental;
    - o Alquimia interna (Neidan) - Prega a autotransformação por meio de exercícios respiratórios e técnicas de concentração.
- Tonglen - Mais uma prática com base budista e influências tibetanas. Conecta-se ao sofrimento interior para enfrentá-lo e superá-lo. Para o tonglen, encarar a dor é necessário para se tornar mais forte do que a sensação ou pensamento.
- Transcendental - Criada em 1955 por Maharishi Mahesh, que ficou famoso ao se tornar guru de artistas como os integrantes de grupos como The Beatles e The Beach Boys, a prática transcendental consiste em entrar em contato com os níveis internos mais profundos a fim de ativar reservatórios de energia, criatividade e inteligência. É uma meditação laica. Nela, o praticante busca a transcendência com o intuito de corrigir desequilíbrios, como o estresse e a ansiedade. Há recitação de mantras durante as meditações, que duram de quinze a vinte minutos e são realizadas duas vezes ao dia, com os olhos fechados. Só pode ser praticada com instrutores.
- Vipassana - Meditação milenar atribuída ao próprio Buda. Em páli (língua utilizada na escola teravada do budismo) significa "conhecimento" ou "iluminação". Conhecida como

"meditação penetrante", é composta de *samatha* (a concentração da mente) e *vipassana* (a habilidade de distinguir a realidade com clareza). É por meio dela que ocorre a busca pela verdade nas relações, sensações e sentimentos. É um método de transformação por meio da auto-observação e do trabalho na relação do corpo com a mente, que visa alcançar equilíbrio e se libertar das frustrações.

- Zazen - Oriunda da tradição chinesa do zen-budismo, está ligada ao monge indiano Bodhidharma (século VI). "Za" significa "sentar-se" e "zen" significa "estado de meditação". É praticada até hoje em centros zen-budistas (*sangha*) sobre esteiras ou almofadas. Possui sessões de vinte a cinquenta minutos, já que se trata de uma modalidade para pessoas mais experientes. Durante a meditação, o praticante se mantém imóvel, com a coluna ereta, os olhos entreabertos e as mãos no ventre.

CANAIS DO YOUTUBE

Uma forma de usar a internet a favor de sua meditação é aproveitar conteúdos disponíveis no YouTube. Veja a seguir alguns exemplos de canais que oferecem ótimos vídeos relacionados à prática.[1]

POETOTERAPIA

<www.youtube.com/channel/UCYBQTi2KSl8nOaxlkpSSWQA/featured>

Criado por Lázaro Ramon, possui vídeos sobre bem-estar, mantras, poesia e meditação. As sessões de meditação guiada são temáticas, dedicadas a resolver problemas específicos, como qualidade do sono, nervosismo, ansiedade etc.

YOGA PARA VOCÊ

<www.youtube.com/channel/UCm3vAALOavlHDxbMb9rG-Pw>

Canal que junta ioga e meditação com vídeos que duram de cinco a quinze minutos. Oferece muito conteúdo sobre os benefícios da meditação.

CLUBE DE MEDITAÇÃO PARA PENSAMENTOS PODEROSOS

<www.youtube.com/channel/UCPpL7YTaYvSAcq9RtqWqa9w>

Com diversos vídeos de meditação guiada, o Clube da Meditação traz trilhas sonoras temáticas (músicas, afirmações, frequências) para enriquecer a experiência de meditação.

---

1. Todos os links mencionados neste capítulo foram acessados e estavam disponíveis em 29 out. 2020.

LUZ DA SERRA

<www.youtube.com/user/Luzdaserra>

Voltado para a espiritualidade, o Luz da Serra conta com vídeos de meditações temáticas e dicas de saúde.

MONJA COEN

<www.youtube.com/user/MOVAFILMES>

A Monja Coen Rōshi, referência do zen-budismo no Brasil, reúne vídeos que abordam diversas questões do ponto de vista dessa religião.

AMANDA SCHULTZ

<www.youtube.com/channel/UCemzvJ4hg_-MlwpSBtfHAkw>

Amanda Schultz divulga a espiritualidade e o bem-estar da meditação, além de responder a dúvidas e oferecer práticas guiadas.

JULIANA GOES

<www.youtube.com/user/julianagoesoficial>

Além de outros conteúdos, o canal da jornalista Juliana Goes apresenta vídeos de meditação voltados tanto para iniciantes como para quem busca práticas específicas.

LONGEVIDADE YOGA

<www.youtube.com/channel/UCce8dY76sC8uY1gxKKNfH3Q>

Reúne vídeos sobre alimentação saudável, rotinas de ioga e meditações temáticas em um só lugar.

YOGA MUDRA

<www.youtube.com/c/YogaMudrabr/featured>

Oferece rotinas de ioga, meditação guiada, mensagens positivas e entrevistas especiais.

PRI LEITE YOGA

<www.youtube.com/c/PriLeiteYoga/featured>

A professora apresenta diversos vídeos com rotinas de ioga para os mais variados temas, além de técnicas de meditação, incluindo como melhorar a respiração e a postura.

APLICATIVOS DE MEDITAÇÃO

Outra ferramenta poderosa dos dias atuais para quem pratica meditação são os aplicativos para dispositivos móveis, como *tablets* e *smartphones*. Já mencionamos algumas vezes que os aparelhos eletrônicos devem ser evitados, por serem fonte de distração. No entanto, se usados corretamente, esses dispositivos acabam se tornando importantes aliados. Veja algumas opções de aplicativos para Android e iOS:

5 MINUTOS – EU MEDITO

Como o próprio nome diz, oferece sessões de meditação de cinco minutos. Conta com trilha sonora própria, além de dicas para corrigir a postura e a respiração.

AURA – MEDITATIONS, SLEEP & MINDFULNESS

Você responde a um questionário sobre o seu cotidiano, com perguntas relacionadas ao nível de estresse e ansiedade, para que o aplicativo indique as melhores meditações.

MEDITATION & RELAXATION MUSIC: CALM SLEEP SOUNDS

Aplicativo que traz o som como seu aliado na busca por relaxamento. Trata-se de uma fonte de sons e músicas temáticas que acalmam e, por isso, podem ser usadas como pano de fundo para uma sessão de meditação. O app reúne sons da natureza (ondas marinhas, chuva, pássaros, rio e muitos outros) que criam um ambiente ideal para o alcance do relaxamento.

MEDITE.SE

Aplicativo brasileiro criado para proporcionar uma simples introdução à meditação. Você pode baixar os áudios e meditar mesmo sem acesso à internet.

RELAX & VISUAL MEDITATION BY MINDBLISS

Proporciona a prática diária de meditação com áudios curtos de meditação guiada e exercícios de respiração.

SATTVA

Traz meditações guiadas para iniciantes. Você pode utilizar o aplicativo para medir o tempo de cada sessão, além de monitorar sua frequência cardíaca.

ZEN

Oferece meditações temáticas e um contador de dias consecutivos de meditação. Também disponibiliza minicursos sobre temas diversos, como introdução à meditação para adultos e crianças, alimentação saudável, qualidade do sono, orações e afirmações etc. O aplicativo oferece 7 dias de uso gratuito, sendo pago após esse período.

REFERÊNCIAS BIBLIOGRÁFICAS

3 TIPOS de meditação para dormir melhor. Catraca Livre, 24 jun. 2020. Disponível em: <https://catracalivre.com.br/saude-bem-estar/3-tipos-de-meditacao-para-dormir-melhor/>. Acesso em: 10 nov. 2020.

CARDOSO, R. *Medicina e meditação*: um médico ensina a meditar. 5. ed. São Paulo: MG Editores, 2015.

CHOW, S. *História da meditação*. News Medical Life Sciences, 23 ago. 2018. Disponível em: <https://www.news-medical.net/health/Meditation-History-(Portuguese).aspx>. Acesso em: 10 nov. 2020.

COMO meditar? Templo Zu Lai, maio 2004. Disponível em: <https://www.templozulai.org.br/como-meditar>. Acesso em: 10 nov. 2020.

COMO meditar: tudo que você precisa saber para iniciar a prática. *Superinteressante*, 2020. Disponível em: <https://super.abril.com.br/especiais/aprenda-a-meditar/>. Acesso em: 10 nov. 2020.

DANTAS, G. "Meditação". Brasil Escola. Disponível em: <https://brasilescola.uol.com.br/saude/meditacao.htm>. Acesso: 10 nov. 2020.

FELL, A. A meditação está associada a níveis mais baixos do "hormônio do estresse". UC Davis, 27 mar. 2013. Disponível em: <http://sukha.net.br/a-meditacao-esta-associada-a-niveis-mais-baixos-do-hormonio-do-estresse/>. Acesso em: 10 nov. 2020.

MEDITAÇÃO. Personare, 2020. Disponível em: <https://www.personare.com.br/meditacao>. Acesso em: 10 nov. 2020.

NASCIMENTO, T. Como meditar: guia completo de meditação para iniciantes. Segredos do mundo (R7), 17 mar. 2019. Disponível em: <https://segredosdomundo.r7.com/como-meditar/>. Acesso em: 10 nov. 2020.

ONE of the largest mental health trials launches in schools. Gov. UK, 4 fev. 2019. Disponível em: <https://www.gov.uk/government/news/one-of-the-largest-mental-health-trials-launches-in-schools>. Acesso em: 10 nov. 2020.

PRADO, T. Testamos 10 tipos de meditação. *Casa Abril*, 21 dez. 2016. Disponível em: <https://casa.abril.com.br/bem-estar/testamos-10-tipos-de-meditacao/>. Acesso em: 10 nov. 2020.

ROMANELLI, T. 13 dicas para te ajudar a meditar hoje mesmo. Dicas de mulher, 2020. Disponível em: <https://www.dicasdemulher.com.br/como-meditar/>. Acesso em: 10 nov. 2020.

TIPOS de meditação e seus benefícios. Psicologia Online, 24 abr. 2019. Disponível em: <https://br.psicologia-online.com/tipos-de-meditacao-e-seus-beneficios-87.html>. Acesso em: 10 nov. 2020.